# Bienven[ue]
## dans le mon[de des]

Téa ♥ Sisters

ⒶLBIN MICHEL JEUNESSE

Salut, c'est Téa, la sœur de Geronimo Stilton! Je suis envoyée spéciale de « l'Écho du rongeur », le journal le plus célèbre de l'île des Souris. J'adore les voyages et j'aime rencontrer des gens du monde entier, comme les Téa Sisters. Ce sont cinq amies vraiment épatantes. Je vous les présente!

**Colette** a une vraie passion pour le rose et c'est la fille la plus *fashion* du groupe. Toujours occupée à soigner son look, elle est sans cesse en retard!

**Violet** aime étudier et découvrir sans cesse de nouvelles choses. Elle aime la musique classique et rêve de devenir une grande violoniste!

**Paméla** mangerait sa pizza adorée même au petit déjeuner. C'est une mécanicienne accomplie. Donnez-lui un tournevis et elle vous réparera n'importe quel moteur !

**PAULINA** est un peu timide et brouillonne, mais aussi très altruiste. Comme elle aime voyager, elle connaît des gens de tous les pays.

**Nicky** est passionnée d'écologie et de nature. Elle vient d'Australie et aime la vie au grand air. Elle ne tient pas en place !

Téa Sisters

*Texte de* Téa Stilton.
*Basé sur une idée originale d'*Elisabetta Dami.
*Coordination des textes d'*Alessandra Berello *(Atlantyca S.p.A.)*.
*Sujet et supervision des textes de* Carolina Capria *et* Mariella Martucci.
*Coordination éditoriale de* Patrizia Puricelli.
*Édition de* Daniela Finistauri.
*Coordination artistique de* Flavio Ferron.
*Assistance artistique de* Tommaso Valsecchi.
*Couverture de* Giuseppe Facciotto.
*Illustrations intérieures de* Barbara Pellizzari, Chiara Balleello *(dessins)*
*et* Francesco Castelli *(couleurs)*.
*Graphisme de* Chiara Cebraro.
*Cartes :* Archives Piemme.
*Traduction de* Béatrice Didiot.

**www.geronimostilton.com**

Pour l'édition originale :
© 2012, Edizioni Piemme S.p.A. – Corso Como, 15 – 20154 Milan, Italie
sous le titre *Gran ballo con il principe*
International rights © Atlantyca S.p.A. – Via Leopardi, 8 – 20123 Milan, Italie
www.atlantyca.com – contact : foreignrights@atlantyca.it
Pour l'édition française :
© 2014, Albin Michel Jeunesse – 22, rue Huyghens, 75014 Paris
www.albin-michel.fr
Loi 49-956 du 16 juillet 1949 sur les publications destinées à la jeunesse
Dépôt légal : premier semestre 2014
Numéro d'édition : 21040
Isbn-13 : 978 2 226 25247 0
Imprimé en France par Pollina S.A. en décembre 2013 - L66429

Stilton est le nom d'un célèbre fromage anglais. C'est une marque déposée de Stilton Cheese Makers'
Association. Pour plus d'informations, vous pouvez consulter le site www.stiltoncheese.com

# UN PRINCE
# INCOGNITO

ALBIN MICHEL JEUNESSE

# LA ONZIÈME RÈGLE...

Qu'est-ce qui rendait la **RÉDACTION** du journal de Raxford aussi particulière ? Comme dans tous les collèges, elle se composait d'étudiants passionnés par le journalisme, mais seuls ceux de Raxford pouvaient compter sur ce que leur avait enseigné une ancienne élève aux qualités exceptionnelles : Téa Stilton, l'envoyée spéciale de *l'Écho du rongeur* !

Au fil des cours qu'elle avait dispensés au collège, elle leur avait fourni de très précieux conseils et inculqué les dix règles du bon journaliste. Cet après-midi-là, les Téa Sisters et leurs camarades allaient toutefois en apprendre une **ONZIÈME** : « Quand un article est terminé,

# LES 10 RÈGLES DU JOURNALISTE

 **1** Aborde chaque sujet avec *curiosité* et **enthousiasme** !

**2** Tiens-toi constamment informé de ce qui se passe autour de toi. Et si tu ne comprends pas certaines choses, demande des explications à tes parents ou à tes enseignants.

**3** Raconte ce que tu as **vu** ou entendu, sans rien inventer.

**4** Interroge-toi toujours sur la cause des faits et **approfondis** chaque question en te renseignant et en te documentant.

**5** Recueille des INFORMATIONS, des interviews et tout autre matériau pouvant te servir pour ton article.

**6** **Cerne** immédiatement ton sujet sans digresser ou t'attarder sur des détails peu utiles.

**7** Distingue les faits que tu rapportes des **opinions** émises sur la question.

**8** Cite tes SOURCES : si tu rapportes les propos de quelqu'un, mets-les entre guillemets et n'oublie pas de préciser de qui il s'agit.

**9** Efforce-toi d'écrire de manière claire, compréhensible et **synthétique**.

**10** À la fin, relis attentivement ce que tu as écrit en CORRIGEANT tes erreurs !

mieux vaut en sauvegarder une copie sur un support externe. »

– Les amis, j'ai une très **MAUVAISE** nouvelle ! annonça Ron en se ruant dans la salle de rédaction. Mon ordinateur est tombé en panne et j'ai perdu le texte que je devais rendre aujourd'hui !

– Et maintenant, qu'est-ce qu'on fait ? s'inquiéta Tanja. Le journal part à l'impression ce soir !

– Restons calmes ! intervint Paulina. Ron, si tu veux, je peux jeter un coup d'œil à ton poste : j'arriverai peut-être à récupérer le fichier…

– Merci, malheureusement j'ai déjà **TOUT** essayé : il refuse obstinément de se rallumer… répondit le garçon, CONSTERNÉ.

– Alors, il ne te reste qu'à réécrire ton papier, suggéra Colette, car…

Mais la jeune fille ne parvint pas à terminer sa

phrase : un étrange bruit de ferraille provenant de l'extérieur ᴇɴᴠᴀʜɪᴛ la pièce.

## Clang ! Blang ! Glong ! Clang ! Blang !

– Par mille bielles débiellées ! s'exclama Paméla. Quel est ce **BOUCAN** ?
– Sortons voir ! dit Nicky.

# Une arrivée bringuebalante !

Quand ils furent dans la cour, le fracas se fit de plus en plus ASSOURDISSANT.

– D'où vient ce bruit ? cria Shen pour se faire entendre.

– Je n'arrive pas à le déterminer, mais il me semble qu'il se rapproche ! répondit Nicky en se **bouchant** les oreilles.

Courant vers le portail, Paulina s'exclama :

– Regardez, les amis !

Une vieille fourgonnette remontait le chemin menant à Raxford. Il s'agissait d'un véhicule pour le moins DÉGLINGUÉ, qui avançait péniblement !

– Peut-être des campeurs en vacances, suggéra Vik.

– Va savoir, mais vu l'ÉTAT de leur carrosse, j'espère vraiment qu'ils ne vont plus très loin…

Au même moment, le tacot atteignit, bringuebalant, l'entrée du collège et s'immobilisa pile devant les étudiants, soulevant un NUAGE de poussière qui les enveloppa. Deux garçons descendirent du véhicule.

– Salut ! lança l'un d'eux en tendant la main à Vanilla. Je m'appelle Bradley, et voici mon ami Irving !

À la vue de l'huile de moteur qui maculait ses doigts, Vanilla s'écria, horrifiée :

– Pas question que je serre une main aussi SALE !

Mortifié, le jeune homme tenta tant bien que mal de s'essuyer sur sa chemise.

– Je te prie de m'excuser : nous avons eu quelques PROBLÈMES mécaniques sur la route…

– Tu n'as pas à t'excuser ! intervint Pam, indignée

de l'impolitesse avec laquelle sa camarade avait accueilli les nouveaux venus. Soyez les **bien-venus** ! Moi, je suis Paméla. Après les présentations, Bradley et Irving expliquèrent qu'ils étaient deux *étudiants*

en visite à Raxford.

– Nous passerons un mois avec vous au collège, acheva Irving, tandis que le recteur Octave Encyclopédique de Ratis s'*APPROCHAIT* du petit groupe.

– Hum... bonjour ! Vous êtes... mmmh... les

deux… les deux… bafouilla le recteur, étrange-
ment agité.

– Les deux… étudiants en *visite* ? suggéra
Violet, comme l'honorable rongeur peinait à
TROUVER ses mots.

– Exactement ! C'est cela ! répondit Octave
Encyclopédique de Ratis.

Puis, s'adressant aux arrivants, il ajouta sur un ton MYSTÉRIEUX :
– Suivez-moi jusqu'à mon bureau : j'ai à vous parler.

Ah, mes enfants !

# Un Prince Incognito !

Si le recteur avait semblé **MAL À L'AISE** en accueillant Bradley et Irving, c'est parce qu'il ne pouvait dévoiler toute la vérité à ses pensionnaires.

De fait, Octave Encyclopédique de Ratis était le **SEUL** de tout le collège à savoir que les deux garçons n'étaient pas de banals étudiants en visite, mais…

– Prince Bradley ! commença le recteur, une fois la porte de son bureau refermée. Je suis ravi de vous souhaiter la bienvenue à Raxford. Et à partir de maintenant, vous serez, pour moi aussi,

BRADLEY

**La famille royale**

**simplement** Bradley, un élève comme tous les autres !

Un large sourire s'épanouit sur le visage de son

interlocuteur : son vœu le plus cher devenait réalité !

Contraint de mener une vie constamment régie par les civilités et l'étiquette, Bradley rêvait depuis toujours d'une pause, durant laquelle il pourrait mener l'existence d'un jeune homme pareil aux autres. Ainsi le mois passé à Raxford satisferait-il ENFIN ses désirs : il ne s'entendrait plus appeler «Votre Altesse», il étudierait et s'amuserait avec les jeunes de son âge et voyagerait à bord d'une fourgonnette déglinguée au lieu d'une automobile de LUXE.

– Monsieur le recteur, je vous REMERCIE infiniment de votre hospitalité, répondit Bradley. Permettez-moi de vous présenter mon cousin Irving, qui s'est proposé de m'accompagner dans cette aventure !

Après avoir expliqué à Bradley et Irving comment le collège était organisé et quels

cours ils suivraient, Octave Encyclopédique de
Ratis leur lança :

– Bon, et maintenant que vous savez tout, ouste !
Face à l'**EXPRESSION** perplexe des « étudiants en visite », le recteur ajouta, l'air débon-
naire :

– Vous pouvez y aller, jeunes gens ! **Raxford
vous attend !**

RAXFORD VOUS ATTEND !

# UNE SOLUTION ORIGINALE

Entre-temps dans la cour, Nicky, Violet, Paulina et Colette s'étaient aperçues que Pam continuait à **tourner** autour de la fourgonnette des nouveaux venus.

– Je me trompe ou quelqu'un de ma connaissance aurait très envie de procéder à une petite révision de ce moteur **BRAILLARD** ?

– D'après vous, ça n'ennuiera pas Bradley et Irving ? demanda Pam, pleine d'**ESPOIR**.

– Pourquoi cela devrait-il nous ennuyer ? s'étonna Irving, qui venait d'arriver. Peut-être découvriras-tu enfin pourquoi il fait tout ce **BOUCAN**!

Bradley s'approcha du véhicule et souleva le capot.

– Fais comme chez toi, Paméla... Mais ne compte **PAS** sur mon aide, car cet engin m'a déjà coûté... une paire de bretelles !

Les deux garçons **racontèrent** que, durant le trajet jusqu'à Raxford, la courroie du moteur s'était **CASSÉE** et que, faute de pièce de rechange, Bradley avait eu l'**idée** de la remplacer par un morceau de ses bretelles.

**Waouh, quelle trouvaille fantasouristique !** déclara Pam, admirative.

La manière dont le jeune homme avait effectué

la **████████████** ne frappa pas seulement Pam…

– Les amis, je sais comment résoudre le problème de l'**article** qui nous manque pour boucler le journal ! s'exclama Ron.

Sa suggestion était **originale** et **amusante** : consacrer un petit dossier aux solutions créatives permettant de faire face aux imprévus de la vie quotidienne. Le tout illustré de **photos** prises par les étudiants, naturellement !

La proposition de Ron fut acceptée avec enthousiasme, et tous les rédacteurs se mirent

IDÉE !

UN MOTEUR À BRETELLES : si la courroie de votre moteur casse, utilisez un morceau de tissu résistant !

BELLE... GRÂCE AU TALC : répandez un peu de talc sur vos cheveux et brossez-les !

GARDEZ LA FORME ! Utilisez deux petites bouteilles remplies d'eau en guise d'haltères !

au travail en y ASSOCIANT les deux arrivants.

Le premier désagrément dont traiterait l'article serait justement celui qu'avaient brillamment résolu Bradley et Irving.

Le deuxième fut soumis par Colette : que faire lorsqu'on veut avoir les cheveux propres et qu'on n'a pas le temps de les laver ? Élémentaire : il suffit de les saupoudrer de talc et de soigneusement les brosser !

Craig, quant à lui, suggéra un truc pour les passionnés de sport : lorsqu'on ne peut se rendre au gymnase mais qu'on ne veut pas pour autant renoncer à son entraînement, on peut utiliser des petites bouteilles remplies d'EAU en guise d'haltères !

L'après-midi passa comme un éclair, et quand, le soir venu, le petit groupe se trouva face au dossier terminé, Tanja exprima ce que tous pensaient :

– Nous avons fait un **EXCELLENT** travail ! Bravo à tous !

– Il ne manque plus qu'une chose, observa Paulina : le titre !

Ce fut la proposition de Bradley qui cette fois l'emporta :

– Que dites-vous de « **DE GRANDES IDÉES pour les petits problèmes** » ?

Nicky répondit en souriant :

– Je dirais que c'est parfait : cette fois, nous sommes prêts pour l'impression !

# DEUX NOUVEAUX AMIS !

Après ce premier après-midi passé à *écrire*, à **PHOTOGRAPHIER** et à mettre en **pages**, Bradley et Irving cessèrent d'être de nouveaux venus pour devenir des étudiants de Raxford à part entière…

Tout en étant très attentifs à ne pas RÉVÉLER leur identité, les deux garçons étaient de véritables ouragans : toujours débordants d'ÉNERGIE et d'envie d'entreprendre ! Qu'il s'agisse de pratiquer du sport

VIVE RAXFORD !

le matin, de veiller tard pour terminer une recherche ou encore d'apprendre des choses **NOUVELLES**, ils étaient toujours partants !
Et si Irving engendrait irrésistiblement la **SYM-PATHIE**, Bradley conquérait tout le monde par son savoir-vivre et l'élégance de ses manières.

Face à son **IMPECCABLE** éducation, le professeur Margot Ratcliff lui-même laissa échapper :
– Ce jeune homme a vraiment la contenance d'un prince !
En entendant cette REMARQUE, Vanilla lâcha à ses amies en ricanant :
– C'est sûr : le prince des vieilles guimbardes !
Outre Vanilla, qui s'obstinait à **SNOBER** Bradley, quelqu'un d'autre ne se réjouissait guère d'avoir un nouveau compagnon : Shen, qui, du JOUR au lendemain, avait vu se raréfier les moments passés avec sa Pam adorée !
Depuis qu'ils avaient RÉPARÉ la fourgonnette ensemble, elle et Bradley étaient devenus inséparables. Ils s'étaient en effet aussitôt découvert de nombreux points communs : tous deux venaient d'une famille nombreuse, avaient une grande *passion* pour les moteurs et adoraient la pizza ! Pris d'une certaine jalousie, Shen

avait donc décidé de passer à l'**attaque** en tâchant de regagner l'attention de Pam…

Mais l'entreprise se révéla bien plus COMPLIQUÉE que prévu !

Un jour, pour susciter l'intérêt de la jeune **fille**, il alla jusqu'à s'improviser skater, mais lorsqu'il se retrouva le nez au sol, il comprit que sa tentative était franchement… désastreuse !

Capitulant, le

garçon regagna alors tristement sa chambre. Peu de temps après, il entendit frapper à sa porte...

Shen ouvrit et se retrouva face à... nulle autre que sa Pam bien-aimée !

– **Allez**, Shen ! Prends ton coupe-vent : on part tous faire une promenade en voilier ! TU NE PEUX PAS MANQUER ÇA !

Le garçon hésita :

– Mais moi... je ne connais rien aux voiliers et je ne voudrais pas provoquer de catastrophe...

– Ne t'inquiète pas, je t'apprendrai un ou deux trucs ! Tu verras, on va s'amuser ! En plus... ajouta Pam en souriant, j'ai apporté le jeu d'échecs pour que tu m'accordes enfin ma REVANCHE !

Shen ne se le fit pas répéter deux fois et rejoignit les autres, en compagnie de Pam.

Le groupe ne savait pas encore qu'il devrait renoncer à sa sortie à cause d'un drôle de **CONTRETEMPS** !

# UNE iNVASiON...
## DE BiLLES ! c

**– Attention !**

La voix de Camomille résonna sur la PLACE toute proche du *Zanzibazar*.

Les Téa Sisters, Shen, Bradley, Irving et Ron, qui se RENDAIENT au port, se retournèrent aussitôt.

– Qu'est-ce que c'est que ça ? demanda Irving en écarquillant les YEUX.

– Je n'en sais rien, répliqua Violet. On dirait…

– … des billes !!! la devança Nicky.

Précédant la jeune fille, des centaines de billes dévalèrent la ruelle qui menait du magasin à la petite place du village !

Les étudiants s'ÉCARTÈRENT pour les

éviter, mais Shen faillit tomber dans la fontaine !

– Camomille, que s'est-il passé ? s'enquit Paulina, une fois que toutes les petites boules de verre eurent terminé leur course **FOLLE**.

QUEL DÉSASTRE !

– Toutes mes excuses ! répondit l'employée du *Zanzibazar* en reprenant son souffle. Tamara et moi sommes en train de vider le **STOCK**. Je transportais un gros carton, quand son fond a **CÉDÉ**.

Le petit groupe fixa l'entrée du magasin : des tas de cartons étaient **empilés** devant l'entrée.

À cet instant, Tamara pointa le nez dehors.

– Hé, les enfants, venez jeter un coup d'œil et emportez *tout* ce qui vous plaît !

– Merci, mais on est en chemin pour le port...

tenta d'objecter Pam, aussitôt interrompue par Colette.

– Je me trompe ou… ce qui dépasse de la boîte là-dessous est de la $\text{soie}$ rose ?!

À la vue de son amie qui, les yeux brillants de joie, commençait à fouiller dans la marchandise, Pam conclut :

MAIS C'EST… DE LA SOIE ROSE !

– Enfin, on pourrait remettre notre promenade en voilier à un autre jour !

Suivant l'exemple de Colette, ses amis se mirent à **fureter** dans le stock et s'aperçurent qu'il recelait des objets en tout genre : des

boules à neige avec des repro-ductions de **MONUMENTS** provenant de villes du monde entier, du matériel de plongée, toutes sortes de boutons et bien d'autres choses encore !

Sondant un énorme carton, Violet fit la découverte la plus surprenante.

– Regardez ! Il y a là des robes magnifiques !

– Ah oui, ce sont les **costumes** qu'à une époque nous louions aux compagnies d'art dra-matique de l'île ! expliqua Tamara.

– Ce serait **MERVEILLEUX** de pouvoir les porter ! soupira rêveusement Colette.

– Pourquoi ne pas organiser un *spectacle* théâtral ? proposa Paulina.

– Ou un bal masqué ! suggéra à son tour Nicky.

– Vous savez quoi ? intervint Bradley avec un petit *sourire*. On pourrait faire les deux !

Le jeune homme expliqua l'*IDÉE* qui lui était soudain venue à l'esprit : organiser toute une journée de spectacles et de manifestations

REGARDEZ, LES FILLES ! QUELLE ROBE MERVEILLEUSE !

culturelles à travers l'île, dont le grand final serait un somptueux **BAL MASQUÉ** donné au collège de Raxford pour tous les étudiants et tous les jeunes des **ENVIRONS** !

– Mais bien sûr : un festival ! s'exclama Ron.

– Le **FESTIVAL** de l'île des Baleines ! conclut Shen.

# TOUS AU TRAVAIL !

– J'étais certaine que notre idée **PLAIRAIT** au recteur ! s'écria Paulina.

– Oui, mais espérons qu'elle séduira aussi nos camarades… observa Nicky.

En effet,  organiser un festival n'était pas une mince affaire, et les Téa Sisters savaient que, pour cela, le soutien de chaque *étudiant* était fondamental. Ainsi, dès qu'elles eurent obtenu l'autorisation du recteur, elles s'**EMPRESSÈRENT** de

**1er FESTIVAL DE L'ÎLE DES BALEINES !**

SI TU VEUX AIDER À L'ORGANISER, RENDEZ-VOUS APRÈS LES COURS, SALLE 110

préparer des tracts pour convier l'ensemble du collège à une **grande** réunion.

– Et si PERSONNE ne vient ? s'inquiéta Colette devant la porte de la salle où elles avaient donné rendez-vous aux personnes intéressées.

– Ne t'inquiète pas, sœurette ! répondit Pam. Je suis certaine que *TOUS* voudront nous aider.

Et elle ne se trompait pas : quand les cinq amies entrèrent, elles découvrirent une pièce bondée ! Non pas seulement d'élèves, mais aussi de nombreux enseignants !

Le premier à prendre la parole fut le professeur Show.

– Jeunes gens, si vous avez besoin d'aide pour vos représentations théâtrales, vous pouvez compter sur moi !

– Et moi, je pourrai prêter main-forte aux groupes de MUSIQUE ! ajouta Mlle Sourya.

– Eh bien, qu'attendons-nous ? s'exclama
Bradley. Mettons-nous au travail !
Les étudiants se RÉPARTIRENT aussitôt en
groupes. Beaucoup tenaient à se produire dans
des spectacles divers, tandis que d'autres sou-
haitaient rester dans les coulisses pour s'occuper

de l'ÉCLAIRAGE ou de l'aménagement des différentes scènes.

– Et il faudra réaliser le reste des costumes pour le **BAL MASQUÉ**! lança Colette.

De fait, ceux récupérés au *Zanzibazar* ne SUF-FIRAIENT pas, mais les étudiants de Raxford ne

manquaient certainement pas d'**inventivité** pour en confectionner de nouveaux !

Les visages d'Alicia, de Connie et de Zoé, qui se tenaient à proximité, s'**illuminèrent**.

– J'ai déjà une idée de déguisement ! Je serai la plus illustre **reine** d'Égypte : Cléopâtre ! claironna Zoé.

– Waouh ! s'extasia Alicia.

Puis, se tournant vers Vanilla, elle lui demanda :

– Et toi, quel sera ton costume ?

Vanilla regarda ses amies d'un air supérieur et répliqua :

– Je n'aurai pas de temps à perdre dans ces futilités, car je vais devoir me préparer pour ce qui sera la plus ÉPOUSTOUFLANTE performance de tout le festival !

# Un tandem déraille !

– Un numéro de café-théâtre ? s'étonna Robert Show. *Quelle idée originale !*
Heureuses d'avoir reçu l'approbation de leur enseignant d'art dramatique, Pam et Colette échangèrent un regard satisfait.
Les deux filles avaient longuement discuté entre elles du duo qu'elles comptaient présenter au festival, et dès qu'elles eurent trouvé la bonne idée, elles s'étaient précipitées dans la salle des professeurs pour recueillir l'opinion de leur professeur et des conseils pour la réaliser.
– Le titre en sera « Compagnes de chambre »,
expliqua Pam.
– Nous raconterons de façon amusante ce que

c'est que de partager une **chambre** avec une amie ! poursuivit Colette, enthousiaste.

– Grande trouvaille ! jugea monsieur Show. Donc vous mettrez en scène la ꭱꭲꭱꭱꭱꭱꭼꭳ ꭱꭲꭼ des petites habitudes de l'une aux yeux de l'autre ?

QU'AS-TU SUR LA FIGURE ?!?

HEIN ?

– Exactement ! approuva Pam. Comme le fait de s'enduire le visage d'un masque de beauté qui a l'aspect d'une **DÉGOÛTANTE** bouillie verte ! Colette dévisagea son amie, interloquée : c'était l'une des choses qu'elle faisait, sans avoir jamais imaginé que Pam puisse la trouver aussi étrange !

Dès lors, elle ne put se retenir :

– Ou comme MACULER le sol de
traces de boue après avoir fait du
motocross !

– Hé, s'écria Pam, contrariée. Si
ça te DÉRANGEAIT, tu aurais pu
me le dire !

– Et toi, tu aurais pu me dire
que je ressemblais à un monstre vert ! lâcha
Colette.

– Euh... mesdemoiselles... tenta d'intervenir le
professeur. Pourquoi ne pas...

Mais Pam ne lui laissa pas le temps de TERMI-
NER sa phrase. Se tournant vers Colette, elle
déclara :

– Dans ce cas, le mieux serait peut-être que tu
te trouves une nouvelle compagne de chambre !

– Et toi, une nouvelle partenaire pour le sketch :
**MOI, JE M'EN VAIS !** annonça Colette.

**– NON, C'EST MOI QUI M'EN VAIS !** rétorqua Pam en se levant d'un bond.

Les deux filles franchirent la porte presque en même temps… La préparation de ce duo s'était révélée plus *TURBULENTE* que prévu !

# PRÉPARATIFS ET ESPOIRS...

Ignorant la petite dispute survenue entre Colette et Pam, les autres Téa Sisters s'activaient à la préparation de leurs projets.

Violet avait entrepris d'organiser avec Irving une exposition de photographies bien **PARTICULIÈRE**. Les clichés qu'ils avaient pris ne seraient pas **exposés** dans un espace fermé, mais à l'air **LIBRE** parmi la population, à savoir le long des routes et des rues de l'île des Baleines ! Les deux jeunes gens s'efforçaient donc de

REGARDE !

choisir les sites qui serviraient de toile de fond à leurs IMAGES.

Nicky, Bradley, Craig et Tanja étaient, quant à eux, plongés dans les répétitions du gROUPe musical qu'ils avaient fondé pour l'occasion : les MELODY !

Quant à Paulina, elle avait décidé de s'occuper du feu d'artifice qui illuminerait le CIEL

pour la clôture du FESTIVAL. Penchée sur son ordinateur, elle étudiait les combinaisons de couleurs qui TRANCHERAIENT le plus dans l'obscurité.

À la fin de la journée, les trois filles se sentaient épuisées mais SATISFAITES.

– J'ai trouvé des endroits parfaits pour présenter mes photos ! annonça Violet.

– Et nous, nous avons ENFIN réussi à sélectionner les morceaux que nous jouerons pendant notre concert ! déclara Nicky.

– Moi, j'ai décidé que le spectacle pyrotechnique se déclinerait en bleu ciel et or, les COULEURS du collège de Raxford ! expliqua Paulina.

Toutes trois entendirent alors une voix familière provenant de la galerie du jardin :

– Quelleidiotequelleidiotequelleidiote !

C'était Colette, qui ne se remettait pas de sa

BAGARRE du matin avec Pam. Au départ, les paroles de son amie l'avaient vexée, mais quand sa colère était RETOMBÉE, elle s'était rendu compte que Pam n'avait rien dit de méchant.

Elle-même se trouvait souvent COMIQUE avec ses masques de beauté sur le visage !

– Hé, Coco ! Que se passe-t-il ? s'étonna Violet, tout en s'approchant, avec Nicky et Paulina, de leur amie.

Après avoir entendu le récit de Colette, toutes trois furent clairement du même avis.

– Ne t'inquiète pas ! Ce n'est qu'un malentendu ! la rassura Nicky.

– Bien sûr ! Pam en est certainement aussi CONTRARIÉE que toi ! renchérit Paulina.

– Paulina a raison ! insista Violet. Je suis sûre que tu trouveras le moyen de clarifier la situation et de faire la PAIX.

Émue, Colette renifla, mais la vue d'une FLAQUE d'eau lui rendit le sourire.

– Je viens peut-être de le trouver…

# D'ADORABLES DÉFAUTS

Soupirant, Pam avala TRISTEMENT une autre cuillerée de glace au triple chocolat, puisée dans un pot de format *large*.

« J'ai été *INSUPPORTABLE*, se dit-elle. Colette a raison de m'en vouloir ! »

Assise dans les **tribunes** désertes du terrain de sport, Paméla repensait à sa discussion avec son amie, tout en regardant le soleil se coucher.

Quelle idiote...

Dès qu'elle s'était éloignée de la salle des professeurs, elle avait compris qu'elle avait **exagéré**.

– Paméla! l'appela Bradley en gravissant les gradins au pas de course. Où étais-tu passée? Je t'attendais à la bibliothèque pour qu'on étudie ensemble!

Pam se frappa le front du plat de la **main**.

– Excuse-moi, ça m'était sorti de la tête!

Le jeune homme remarqua alors le pot de **glace** qu'elle tenait.

– Un pot *large*! observa-t-il en s'asseyant à côté d'elle. Mmmh… moi aussi, je mange de la glace au chocolat lorsque je suis à plat : format *small* quand j'ai peur de passer un examen; *medium* quand je suis contrarié parce que quelque chose ne s'est pas passé comme

PEUR CONTRARIÉTÉ PROBLÈME INSURMONTABLE

je le voulais et… *large* quand j'ai des problèmes apparemment sans **solution** !

– C'est tout à fait ça… admit Paméla.

Et sans même s'en rendre compte, elle se mit à raconter à Bradley ce qui la CHAGRINAIT.

Le jeune homme fut frappé par la peine qui se lisait dans les yeux de Pam tandis qu'elle lui parlait de son altercation avec Colette. Au-delà

ET ALORS… MIAM MIAM…
JE L'AI VEXÉE…

de cette dispute, un lien très étroit semblait unir les deux filles !

– Et ça te paraît insurmontable ? s'exclama Bradley d'un ton **taquin**. Toi et Colette avez vécu tant d'aventures ensemble : un simple malentendu ne peut ternir votre **compli-cité** !

– Certes, mais désormais elle est convaincue que je trouve ses habitudes RIDICULES, alors que ce sont justement nos différences qui rendent notre amitié si **particulière** !

– Voilà qui est très beau ! Pourquoi ne lui dis-tu pas ce que tu penses, comme tu viens de le faire avec moi ? suggéra Bradley.

Le visage de Pam s'éclaira.

– Tu as raison ! C'est simple, finalement ! Eh bien, allons-y : je dois me **DÉPÊCHER** de faire la paix avec mon amie !

Tous deux se ruèrent au collège et montèrent,

quatre à quatre, les marches menant à la chambre de Pam et de Colette.

– Attends-moi ici, je reviens **tout de suite** ! dit Pam en entrant. Avant d'aller trouver Coco, j'ai quelque chose à faire.

D'un pas décidé, elle se _DIRIGEA_ vers la salle de bains, ouvrit l'armoire dans laquelle sa camarade gardait ses produits de beauté et étala une

**CRÈME** verdâtre sur son visage. Alors qu'elle en refermait le pot, elle entendit un **lourd** bruit de pas dans la chambre. Elle sortit de la salle de bains pour voir qui c'était et…

– Coco ! s'écria-t-elle, ébahie.

Face à elle se tenait son amie, chaussée de bottes de motocross couvertes de **BOUE** !

À la vue de Pam avec son masque, Colette éclata de rire.

– Pam, je t'adore, même quand tu reviens avec tes grosses chaussures CROTTÉES !

– Et moi, je t'adore, même barbouillée de ta crème verte ! répondit celle-ci en se précipitant dans les bras de sa camarade, sous les YEUX de Bradley et des autres Téa Sisters.

– IMPOSSIBLE de ne pas rire quand on vous voit arrangées comme ça ! s'exclama Violet.

– Ah oui ? répliqua Paméla avec un petit sourire. Dans ce cas, nous avons peut-être TROUVÉ une nouvelle idée pour notre numéro de café-théâtre !

# REMUE-MÉNAGE SUR LA PLACE !

L'après-midi précédant le festival, tandis que la *fièvre* des derniers préparatifs gagnait Raxford, Violet et Irving finirent d'installer les photographies de leur exposition à travers l'île des Baleines.

– On a terminé ! déclara le garçon en plaçant le dernier cliché encadré sur le rebord d'une fenêtre **FLEURIE** du village.

Au même moment retentit dans la ruelle le klaxon d'un **gigantesque** camion.

– Qui sait ce qu'il peut bien transporter ? s'interrogea Violet.

– Je crois qu'il s'est **ARRÊTÉ** sur la place... dit Irving.

Et de proposer :
– Allons voir !
Quand ils se furent approchés, Violet et Irving découvrirent que le **VÉHICULE** était accompagné d'une fourgonnette et d'un quatre-quatre. Tout autour, une large équipe de techniciens s'activait à monter un **imposant** échafaudage.

TUUUT TUUUT !
TUUUT TUUUT !

## REMUE-MÉNAGE  SUR LA PLACE !

– Du vent, les amis ! Vous gênez les opérations ! ordonna Zoé, inopinément **surgie** de l'arrière de la four-gonnette.

QUI KLAXONNE ?

– Qu'est-ce que tous ces rongeurs font là ? s'enquit Violet.

– Et surtout, qu'est-ce que, toi, tu fais là ? s'enquit Irving, avec un SOURIRE.

– Quelles questions ! lâcha Zoé. Je supervise le chantier de la plus extraordinaire manifestation de tout le FESTIVAL : la prestation de Vanilla !

La jeune fille expliqua alors que son amie avait décidé de s'essayer au célèbre « Vol de l'ange ».

– Tu veux dire qu'elle va traverser la place suspendue à un câble tendu très haut ? demanda Irving en ÉCARQUILLANT les yeux.

– Exactement ! Et maintenant, laissez-moi travailler ! abrégea Zoé en poussant Violet et Irving vers une ruelle.

Pendant ce temps, dans sa chambre du collège, Vanilla essayait la robe qu'elle porterait lors de son numéro.

– Elle te va très bien ! s'exclama Alicia.

– Évidemment ! Ma mère l'a fait faire exprès pour moi par les plus PRESTIGIEUX couturiers de l'île ! répondit Vanilla en se contemplant avec satisfaction dans le miroir.

Elle se voyait déjà fendre l'air avec la légèreté d'un papillon, tandis que tous ses camarades et

TOUS VONT M'ADMIRER !

toute la population s'attardaient à l'**admirer**, le nez au ciel !

Vanilla fut tirée de son rêve de gloire par la voix de Shen, qui claironnait dans le couloir :

– Les amis, les répétitions des MELODY vont commencer !

Fâchée, Vanilla s'encadra dans la porte de sa chambre et répliqua :

– Tu as bientôt fini de CRIER ? Qui veux-tu que ça intéresse ?!

Ce ne fut pas Shen, mais Connie qui lui répondit. À la vue des dizaines d'étudiants s'EMPRESSANT de rejoindre la salle dans laquelle travaillaient Nicky, Bradley, Craig et Tanja, la jeune fille s'écria :

– Qui ? Eh bien, leur futur concert semble intéresser **tout** le collège !

# UN NUMÉRO
# DE TROP...

– Soit ! Laissons les MELODY profiter de ce court instant de gloire ! déclara Vanilla d'un ton MÉPRISANT, tout en refermant la porte de sa chambre. Quand le public aura assisté à ma performance, il trouvera ridicule leur misérable petit spectacle !

– Dans ce cas, il faut que tu avances l'heure de ton numéro, observa Alicia en survolant le programme du FESTIVAL. En effet, il est écrit ici que toi et les Melody devez vous produire à la même heure !

BRAVO !

Vanilla ouvrit de grands yeux.

– Mais qu'est-ce que tu racontes ?! Fais-moi voir ! éructa la jeune fille en arrachant vivement la brochure des mains de son amie. Je ne peux pas me produire plus tôt : les techniciens ne pourront terminer de monter l'installation que pour l'horaire prévu !

Sur ces mots, Vanilla se changea rapidement et rageusement, puis se **RUA** dans le local de répétition pour étudier ses rivaux.

JOLI RYTHME !

Parvenue à proximité, elle s'aperçut qu'il lui serait impossible d'entrer : la **salle** était comble ! En outre, les Melody ne plaisaient pas qu'aux étudiants. Dans le public se trouvait aussi le professeur Sourya, qui applaudissait avec

COMPLIMENTS !

**enthousiasme**. Et même le recteur de Ratis, qui traversait alors le couloir, modifia le rythme de ses pas pour suivre le tempo **TRÉPIDANT** de la chanson interprétée par le groupe !

– S'il y a autant de monde à la répétition, vous imaginez demain **soir** ! fit remarquer Zoé.

Vanilla lui **LANÇA** un regard noir, tourna impétueusement les talons et regagna sa chambre. Elle devait s'assurer que son numéro serait le plus suivi, et, pour cela, il n'y avait qu'une solution : torpiller le SPÉCTACLÉ des Melody !

C'est Alicia qui, sans le vouloir, lui inspira l'idée providentielle.

– Allons, Vanilla, ne t'inquiète pas ! Peut-être que demain il PLEUVRA... Or les Melody ne peuvent pas jouer sous la pluie !

– Quelle bêtise ! Dans ce cas, Vanilla non plus ne pourra pas exécuter son numéro ! la rabroua Zoé.

– Alicia n'a peut-être pas complètement tort... observa Vanilla avec un petit sourire. Ce qu'il nous faut, c'est simplement un peu d'EAU... pas de la pluie !

C'est ainsi que cette nuit-là, sur ordre de Vanilla, Connie, Zoé et Alicia passèrent à l'action. À la lueur d'une torche, toutes trois

**PARCOURURENT** les obscurs couloirs du collège jusqu'à la petite pièce où étaient rangés les instruments de musique des Melody. Dans les MINUSCULES toilettes contiguës, elles ouvrirent le robinet du lavabo, et tandis que l'eau commençait à couler dans la vasque qu'elles avaient pris soin de boucher, elles s'*ENFUIRENT*.

Sous peu, la salle serait inondée et les instruments irrémédiablement ENDOMMAGÉS...

# LE FESTIVAL DE L'ÎLE DES BALEINES !

Au terme d'une longue attente et de bien des préparatifs, le FESTIVAL de l'île des Baleines s'ouvrit enfin !

Les étudiants de Raxford ayant accompli un travail **exceptionnel**, les habitants du port découvrirent, à leur réveil, un village en fête.

Les **PHOTOGRAPHIES** prises par Violet et Irving s'affichaient le long de rues envahies par les étudiants qui s'essayaient aux spectacles de rue. Il y avait des mimes, des jongleurs et même des danseurs !

D'un pas décidé, Nicky, Violet et Paulina fendirent la foule pour atteindre la petite scène *montée* à l'intérieur de l'*Ancienne Concoillotterie*.

OOOH!

– **Mesdemoiselles, attendez-moi !** cria une voix derrière elles.

– Professeur Show ! s'exclama Paulina. Vous aussi, vous venez **VOIR** le numéro de Colette et de Pam ?

– Bien sûr ! répondit l'enseignant. Je ne RATE-RAIS ça pour rien au monde... Je brûle de curiosité ! Elles disent qu'elles ont trouvé une idée extraordinaire... Savez-vous de quoi il s'agit ?

– Non, répliqua Violet, mais une chose est sûre : ce sera certainement **inOUBLiaBle** !

# DANS LA PEAU DE L'AUTRE

Depuis qu'elles avaient fait la paix, Colette et Pam avaient gardé le **SILENCE** sur tout ce qui concernait leur numéro. Et, afin que le résultat soit une surprise pour tous, elles avaient **RÉPÉTÉ** seules, dans le secret de leur chambre !

À présent, le moment de la représentation était arrivé. **CACHÉES** dans les coulisses, les deux filles observèrent le public à la dérobée. Assises au premier rang, Nicky, Paulina et Violet souriaient, savourant à l'avance le spectacle. Et tout le reste de leurs *amis* étaient installés à côté d'elles. Il ne restait plus aux deux comédiennes qu'à commencer !

Leur entrée en scène déchaîna les **RIRES** et les

applaudissements. Tous s'attendaient à quelque chose de spécial de leur part, mais nul n'aurait imaginé que, pour PARODIER les manies de l'autre, elles seraient allées jusqu'à échanger leur apparence ! Voir Pam tout habillée de Rose et avec un brushing impeccable, et Colette arborant les vêtements de sport et les boucles de Pam était vraiment hilarant !

BRAVO !

HA, HA !

BIS, BIS !

HO, HO !

L'idée des deux **filles** se révéla gagnante, car, entre une réplique sur l'énorme collection de shampoings de Colette et une autre sur la passion de Pam pour les **MOTEURS**, leur sketch fut un succès !

– Vous avez été formidables ! déclara Bradley en les rejoignant à la fin de leur numéro.

– C'est vrai, vous nous avez fait mourir de rire ! ajouta Nicky.

– Merci, mais maintenant c'est nous qui mourons d'envie de vous entendre jouer ! répondit Pam.

– Et vous feriez bien de vous dépêcher, renchérit Colette, car votre concert débute dans un peu moins d'une heure... Qu'est-ce que vous faites encore là ?

Nicky et Bradley ÉCHANGÈRENT un regard affolé : la prestation de leurs amies leur avait fait PERDRE la notion du temps !

En moins de temps qu'il n'en faut pour le dire, ils prévinrent Craig et Tanja, qui s'attardaient encore sur la scène, et *filèrent* tous ensemble récupérer leurs instruments au collège.

Lorsqu'ils ouvrirent la porte de la salle où ceux-ci étaient rangés, les sourires que leur inspirait la pensée de leur imminente prestation s'ÉVA-NOUIRENT !

# UNE RICHE IDÉE !

Les quatre étudiants ne parvenaient pas à en croire leurs **YEUX** : la pièce était inondée !

– Mais… comment est-ce possible ?! s'exclama Tanja, effarée.

Percevant un bruit d'**EAU** qui coule, Nicky se précipita dans les toilettes.

– Quelqu'un a laissé le robinet ouvert ! annonça-t-elle.

Rejoignant leur **amie**, Craig, Bradley et Tanja remarquèrent un détail suspect : l'eau ne pouvait pas s'écouler normalement, puisque le lavabo avait été bouché avec des bouts de chiffon !

– Ce n'est pas un **accident**… Quelqu'un a dû le faire **exprès** ! en déduisit Bradley.

– Tu as raison, mais nous n'avons pas le **TEMPS** de chercher le responsable maintenant ! dit Craig. C'est bientôt l'heure du spectacle et… nos instruments sont hors d'usage !

Confirmant cette remarque, la guitare de Nicky émit un bref son PERÇANT. La jeune fille s'était saisie de son instrument en **espérant** que tout ne soit pas perdu, mais elle ne put en tirer que des accords discordants et STRIDENTS.

– Qu'est-ce qu'on fait, maintenant ? demanda Bradley, découragé.

Tandis que les MELODY s'efforçaient de trouver une solution à ce fâcheux contretemps, le silence tomba sur la petite salle.

Inquiet et tendu, Craig se mit à tambouriner sur un tabouret :

TOUM-TOU-TOUM-TOU TOUM-TOU-TOUM-TOU !

Nicky se retourna pour le regarder.

– Craig, tu es génial ! s'écria-t-elle soudain. C'est une **riche** idée !

Face aux mines perplexes de ses camarades, elle expliqua :

– Nous DONNERONS bel et bien notre concert, mais au lieu du matériel habituel, nous nous servirons d'instruments… improvisés !

TOUM-TOU !
TOUM-TOU !

La suggestion de Nicky était simple : **TRANSFORMER** des objets d'usage courant en instruments de musique !

– Moi, je pourrai jouer sur des couvercles de **POU-BELLE** à la place de cymbales ! affirma Bradley.

– Et moi, j'utiliserai une grosse **MARMITE** retournée en guise de tambour ! renchérit Craig.

– Moi, je verserai du riz dans des tubes servant à ranger les ⓑⓐⓛⓛⓔⓢ de tennis pour en faire des maracas ! dit à son tour Nicky.

– Et moi, je taperai sur un bidon métallique servant à la collecte des vieux papiers ! termina Tanja.

Tous quatre se **RUÈRENT** dans le couloir, prompts à récupérer ce qui DEVIENDRAIT leurs percussions.

– Stop! s'écria soudain Tanja. Nous sommes désormais un tout autre groupe ; il nous faut un **NOUVEAU** nom !

– Comme nous serons plutôt bruyants... souligna Craig, que diriez-vous des **Top-Crash** ?

# PLACE AUX TOP-CRASH !

Dans le village, tout se passait tel que Vanilla l'avait prévu.

Comme les Melody ne s'étaient pas présentés, le public, qui les avait attendus devant la scène montée sur les QUAIS, s'était dirigé vers la petite place afin d'assister au numéro de la jeune fille. Du haut du balcon d'où elle s'élancerait pour exécuter son « Vol de l'ange », Vanilla profitait du spectacle. Enfilant le harnais qui la soutiendrait tout au long de sa performance, elle déclara avec satisfaction à son fidèle majordome :

– Tu as vu, Alan ? Toute l'île des Baleines est venue me voir !

Lorsqu'elle fut prête, elle REGARDA Connie, qui se tenait au centre de la place, et lui adressa un **SIGNE**.

Munie d'un micro, sa camarade s'éclaircit la voix et annonça :

– Mesdames et messieurs, j'ai le plaisir de vous présenter la magnifique Vanilla de Vissen, qui se produira pour vous dans le « Vol de… », mais quel est-ce bruit ?

Toute l'assistance se *TOURNA* dans la direction des rythmes entraînants qui, envahissant la place, résonnaient de plus en plus fort :

**TOUM-TOUM TA-TAC !
TCHAFF WOUOCHHH !**

Soudain, Nicky, Bradley, Craig et Tanja surgirent, jouant de leurs instruments de fortune.

De *crépitants* applaudissements s'élevèrent du public, qui accompagna leur rythme endiablé en frappant dans les mains en mesure.

Violet, Colette, Pam et Paulina *COURURENT* vers Nicky.

– Où étiez-vous passés ? Nous étions inquiets ! s'exclama Colette.

– On a eu un problème, répondit leur amie sans cesser de jouer. Mais maintenant tout est réglé, et nous sommes prêts pour le concert. Ah, j'oubliais, on ne s'appelle plus les Melody, mais les **Top-Crash** !

À la vue du public qui, tout en continuant à **marquer** le tempo, quittait la place pour suivre Nicky, Bradley, Craig et Tanja, Connie hurla dans le micro :

– Hé, où partez-vous tous ?!

– Écouter les Top-Crash ! lui répondit en

**CHŒUR** un groupe de spectateurs. Ils sont vraiment fantasouristiques !

Connie leva les yeux en direction du balcon sur lequel se trouvait Vanilla : son amie se dégageait RAGEUSEMENT de son harnais, tandis qu'Alan s'efforçait de la calmer.

Il était désormais ÉVIDENT qu'il n'y aurait pas de « Vol de l'ange »… mais ce qui l'était moins était le temps qu'il faudrait à Vanilla pour *décolérer* !

# Un secret découvert !

Le concert des **Top-Crash** était gai et entraî-
nant, mais ce qui le rendait vraiment spécial
était son public, qui ne se CONTENTAIT pas
d'écouter mais prenait part à la performance !
Les spectateurs reprenaient le rythme entêtant
du groupe, certains en manœuvrant la sonnette
de leur vélo, d'autres en faisant tinter une
cuillère contre une tasse et d'autres encore en
pinçant les cordes d'un étendoir à linge.

DRING DRING !   TING TING !   DLING DLONG !

– Géants, les **Top-Crash** ! cria Paméla dans la foule.

– Ce FESTIVAL est formidablement DIVERTISSANT, dommage qu'il touche à sa fin… commenta Violet.

– Mais ce n'est pas encore terminé : il y a encore le bal ! rectifia Colette. Je brûle d'enfiler

VIENS AVEC NOUUUS…

le magnifique **COSTUME** que j'ai déniché au *Zanzibazar* !

Ces derniers mots firent sursauter Paulina.

– Le *Zanzibazar* ! J'ai oublié d'y retirer les **DÉCORATIONS** pour ce soir !

Les filles s'empressèrent de gagner le magasin de Tamara. Là, tandis que Paulina se hâtait de récupérer sa commande, Pam s'approcha avec curiosité du présentoir des **revues**.

– Hé, les filles, regardez ça ! appela-t-elle en extrayant un magazine d'une multitude d'autres.

– Laisse-moi deviner… on vient de sortir un numéro spécial des **MOTEURS RUGISSANTS** ! plaisanta Colette.

– Non, rien à voir avec les voitures… répondit sombrement Pam en montrant à ses amies la **couverture** du magazine, qui exhibait la photo d'un jeune homme bien connu de toutes cinq.

– Mais c'est… Bradley ! s'exclama Violet.
– Pas tout à fait, la CORRIGEA Pam en lisant l'article qui parlait de leur camarade. D'après le papier, il s'agit du *prince* Bradley !

# UN VÉRITABLE AMI...

– Allons, Pam, ne le prends pas mal ! recommanda Paulina en passant un bras autour de l'épaule de la jeune fille.

Depuis qu'elle avait **découvert** la véritable identité de Bradley, Pam s'était rembrunie ; elle parcourait le chemin les ramenant au concert des **Top-Crash** dans un silence absolu.

– Comment pourrais-je réagir autrement ? Bradley et Irving nous ont MENTI à tous ! lâcha Pam.

Elle n'arrivait pas à s'y faire : elle se croyait amie avec le jeune homme, or les *amis* ne se mentent pas !

– En effet, mais je suis sûre qu'il y a une explication... plaida Colette.

– Tu as raison, Coco! répondit Pam en retrouvant son allant habituel. Courons de ce PAS la lui demander!

Quand les quatre filles parvinrent au port, le concert venait de finir, et Nicky, Bradley, Craig et Tanja se tenaient derrière les tréteaux.

– Excuse-moi, Bradley, commença Pam en s'APPROCHANT du jeune homme. Peut-on te parler un instant?

En percevant le ton étrange de Pam, Nicky rejoignit aussitôt les autres Téa Sisters et demanda :

– Hé, sœurettes, que se passe-t-il?

– Rien de grave! la rassura Violet. C'est juste que...

IL M'A MENTI...

– Vous avez découvert que je vous ai trompées… *anticipa* Bradley.

Il avait suffi au jeune homme de voir la déception dans les yeux de Pam pour comprendre. Dès lors, il était **résolu** à clarifier la situation : il tenait trop à l'amitié des Téa Sisters pour laisser une cachotterie la MENACER !

– Je ne voulais pas vous dissimuler la vérité, mais je n'avais pas d'alternative. Si je m'étais présenté comme le prince Bradley, personne ne m'aurait traité comme un garçon NORMAL… se défendit-il.

– Comment ?! Tu es un prince ?!? s'écria Nicky, abasourdie.

– *Chhhut !* C'est confidentiel ! dit Pam, qui commençait à saisir les raisons de son ami.

– Eh oui, c'est exact ! Mais je n'ai jamais vécu d'expérience aussi EXTRAORDINAIRE que ces jours passés à Raxford, pendant lesquels j'étais

EXCUSE-MOI...

**Simplement** Bradley : un étudiant comme un autre, conduisant une fourgonnette déglinguée !
– Mais pour nous, tu n'es pas un étudiant comme un autre... déclara Paulina, mais l'un de nos meilleurs amis !

J'AI COMPRIS...

Bradley sourit.
– Bien des fois, j'ai eu envie de vous en parler, mais la **PEUR** de tout gâcher m'a toujours freiné... J'espère que vous accepterez de me PARDONNER...

Pam repensa au temps qu'ils avaient passé ensemble : quelle que soit son identité, il s'était toujours conduit en ami avec elle. C'est pourquoi elle **ROMPIT** le silence en claironnant :

– Devinez de quoi j'ai envie ? D'un gigantesque milk-shake à la fraise !
Puis, regardant Bradley, elle lui demanda :
– Tu sais quelle est l'occasion idéale pour boire
un milk-shake à la fraise ? Quand on veut célé-
brer un moment de joie avec ses proches !

# PRINCESSE D'UN SOIR !

Dans la chambre de Pam et de Colette régnait une grande agitation. Les Téa Sisters s'y étaient donné rendez-vous afin de se préparer ensemble pour le bal masqué. Et à présent, elles mettaient la dernière main à leurs costumes.

Colette et Paulina, qui portaient deux des somptueuses robes récupérées au *Zanzibazar*, glissaient des FLEURS dans leurs cheveux. Pam garnissait d'autocollants le casque qui compléterait sa tenue de pilote de FORMULE 1. Violet, qui avait décidé de se déguiser en chef d'orchestre, serrait son nœud papillon.

Quant à Nicky, qui s'était fabriqué un costume

d'**ARBRE**, elle ajustait la volumineuse per-
ruque verte lui tenant lieu de cime touffue.
Les filles furent arrachées à leurs préparatifs par
un **TOC TOC**, qui résonna dans la pièce.
Pam se précipita à la porte pour voir qui avait
frappé. Lorsqu'elle l'ouvrit, elle découvrit une
**ÉNORME** boîte emballée dans du papier doré.
– Regardez, il y a un **MOT** ! annonça Violet.
C'est pour toi, Pam !
– C'est de Bradley ! s'exclama celle-ci, tout
**émue**, en lisant le billet. Il veut que je sois
sa cavalière, ce soir !
Mais une surprise plus grande encore l'atten-
dait : la boîte contenait une robe du soir *fée-
rique* dans les tons préférés de la jeune fille.
Elle se composait d'un bustier rouge fermé par
un nœud de satin vert et d'un jupon vaporeux
en soie et tulle jaune pâle. Pour parachever le
tout, il y avait une paire de longs gants soyeux

et un diadème doré, que Pam retira à leur tour du carton !

La jeune fille en resta sans voix !

– Eh bien, je dirais qu'avec une **toilette** pareille, tu peux renoncer à ton déguisement de pilote ! observa malicieusement Colette.

Pam **COURUT** passer sa robe, et quand elle refit son entrée dans la pièce, ses amies en eurent le souffle coupé : elle avait l'air d'une véritable princesse !

– Pam, tu es *ravissante* ! soupira Colette.

– Tu trouves ? répondit celle-ci, l'air boudeur. Il me semble qu'il manque quelque chose…

Sur ces mots, elle se rua dans la salle de bains et revint quelques INSTANTS plus tard :

– Voilà, maintenant, je suis prête !

Ses amies la fixèrent, perplexes : rien dans son apparence ne semblait avoir changé !

– Mais tu es **PAREILLE** que tout à l'heure ! s'exclama Nicky.

– Eh non ! répondit Pam, d'un ton amusé. J'ai ajouté une petite **touche** personnelle… expliqua la jeune fille en soulevant son jupon et en dévoilant ses bottes bien-aimées !

COMME ÇA, C'EST PARFAIT !

# UNE FIN HEUREUSE !

Paré de guirlandes, de lumières colorées et de BALLONS, le gymnase du collège était splendide ! Et les COSTUMES originaux conçus par les étudiants de Raxford rendaient l'atmosphère magique !

– Waouh ! s'exclama Pam en entrant dans la vaste salle avec ses amies. On se croirait dans la plus ROMANTIQUE des histoires !

– Et justement... voici ton prince ! la taquina Nicky en voyant arriver Bradley et Irving.

Irving était déguisé en une SYMPATHIQUE... table dressée, tandis que Bradley portait un élégant uniforme de cérémonie. Seuls ceux qui connaissaient son SECRET savaient qu'il ne s'agissait pas d'un costume, mais de la tenue officielle des souverains de sa LIGNÉE.

– Bonsoir, Paméla. Tu es très belle ! dit-il en s'inclinant profondément devant elle. Puis-je t'inviter à danser ?

Il prit la main de Pam et la conduisit au centre de la salle. Puis tous deux se mirent à virevolter avec légèreté sur les notes d'une très douce mélodie.

Les REGARDS admiratifs des participants étaient tournés vers le couple, qui évoluait en parfaite harmonie.

La soirée se passa à rire et à danser, jusqu'à MINUIT, heure à laquelle tous gagnèrent le sommet de la tour du Nord pour profiter du spectacle PYROTECHNIQUE préparé par Paulina. Là, sous une pluie de feux d'artifice bleu et or, les Téa Sisters échangèrent des regards ÉMUS. Sans avoir besoin de parler, chacune

devinait la pensée des autres : nulle n'aurait pu imaginer fin plus *heureuse* au conte de fées qu'elles venaient de vivre !

# TABLE DES MATIÈRES

La onzième règle...   7

Une arrivée bringuebalante !   12

Un prince incognito !   18

Une solution originale   22

Deux nouveaux amis !   29

Une invasion... de billes !   35

Tous au travail !   43

Un tandem déraille !   49

Préparatifs et espoirs...   54

D'ADORABLES DÉFAUTS     60

REMUE-MÉNAGE SUR
LA PLACE !     67

UN NUMÉRO DE TROP...     74

LE FESTIVAL DE L'ÎLE
DES BALEINES !     79

DANS LA PEAU DE L'AUTRE     83

UNE RICHE IDÉE !     88

PLACE AUX TOP-CRASH !     94

UN SECRET DÉCOUVERT !     99

UN VÉRITABLE AMI...     104

PRINCESSE D'UN SOIR !     109

UNE FIN HEUREUSE !     114

## DANS LA MÊME COLLECTION

1. Téa Sisters contre Vanilla Girls
2. Le Journal intime de Colette
3. Vent de panique à Raxford
4. Les Reines de la danse
5. Un projet top secret !
6. Cinq amies pour un spectacle
7. Rock à Raxford !
8. L'Invitée mystérieuse
9. Une lettre d'amour bien mystérieuse
10. Une princesse sur la glace
11. Deux stars au collège
12. Top-modèle pour un jour
13. Le Sauvetage des bébés tortues
14. Le Concours de poésie
15. La Recette de l'amitié

### Et aussi...

**Hors-série**
Le Prince de l'Atlantide

1. Le Code du dragon
2. Le Mystère de la montagne rouge
3. La Cité secrète
4. Mystère à Paris
5. Le Vaisseau fantôme
6. New York New York !
7. Le Trésor sous la glace
8. Destination étoiles
9. La Disparue du clan MacMouse
10. Le Secret des marionnettes japonaises
11. La Piste du scarabée bleu
12. L'Émeraude du prince indien
13. Vol dans l'Orient-Express
14. Menace en coulisses
15. Opération Hawaï
16. Académie Flamenco

ÎLE
DES BALEINES

# L'île des Baleines

1. Pic du Faucon

2. Observatoire astronomique

3. Mont Ébouleux

4. Installations photovoltaïques pour l'énergie solaire

5. Plaine du Bouc

6. Pointe Ventue

7. Plage des Tortues

8. Plage Plageuse

9. Collège de Raxford

10. Rivière Bernicle

11. *L'Antique Cancoillotterie,* restaurant et siège des *Messageries Ratiques* — *Transports maritimes*

12. Port

13. Maison des Calamars

14. *Zanzibazar*

15. Baie des Papillons

16. Pointe de la Moule

17. Rocher du Phare

18. Rochers du Cormoran

19. Forêt des Rossignols

20. Villa Marée, laboratoire de biologie marine

21. Forêt des Faucons

22. Grotte du Vent

23. Grotte du Phoque

24. Récif des Mouettes

25. Plage des Ânons

1. Terrain de jeux
2. Appartements des professeurs
3. Club des Lézards noirs
4. Jardin
5. Tour du Sud
6. Club des Lézards verts
7. Bureau du recteur
8. Jardin des herbes aromatiques
9. Tour du Nord
10. Réfectoire
11. Amphithéâtre
12. Escalier des cartes géographiques